# WILLY VANDERSTEEN

Scenario: PETER VAN GUCHT
Tekeningen: LUC MORJAEU

# DE BLIKKEN BLUTSER

Standaard Uitgeverij

Je vindt alles over Suske en Wiske op
www.standaarduitgeverij.be,
op de fansite www.suskeenwiskefameuzefanclub.nl
en op www.studio-vandersteen.be

Wil je graag weten wanneer het volgende album van Suske en Wiske verschijnt?
Surf naar www.strip.be/nieuw en laat je e-mailadres achter.

Trouwen? Waarom zou ik moeten trouwen?

Omdat het niet goed is om alleen te zijn op je oude dag.

Oude dag? Ik?! Juffrouw, ik ben in de fleur van mijn leven!

Kijk dan maar uit dat je niet verwelkt!

Ik bedoel het goed hoor, Bikske!

Jaja, dat weet ik wel, Wiske!

Je hebt gelijk. Ik ben al zo lang vrijgezel. Misschien moet ik mezelf maar eens een elegante, stijlvolle klassedame uitzoeken.

Bij ons thuis loopt er zo iemand rond.

Wie? Sidonia? Hallo! Ik zei 'elegante, stijlvolle klassedame', niet 'hyperkinetische kapstok'!

Dat is niet aardig, Lambik!

Nee, je hebt gelijk. Ach, ik mag Sidonia graag, hoor. Maar trouwen....? Dat weet ik toch nog niet...

En neemt u, Lambik, tot uw wettige echtgenote Sidonia?

Wel euh...

HATCHIE!

Oef, gered door de gong!

Wat scheelt eraan, Sus? Is het weer zover?

Ja, hooikoortz, mijn neuz zid dichd...

Sinds wanneer heb jij hooikoorts??

Alleen bij bepaalde grassoorten.

Deze heldenmoed dient beloond ende gevierd te worden. Mag ik u uitnodigen op het kasteel van mijn vader?

Ach, we hadden deze middag toch niks gepland, dus...

Lambik is helemaal in de ban van die prinses. Hij vraagt zich niet eens af hoe we plots in de middeleeuwen terechtgekomen zijn! Wat denk jij?

Hatsjoe!

Ach ja, dat is waar ook. Ik moet je die pillen nog geven! Hier!

33

EN EVEN LATER BRENGT DE KAR ONZE VRIENDEN NAAR HET KASTEEL...

Ziehier, mijn vader den koning!

Wat?!!!

34

Theofiel!?

Theofilus! Kóning Theofilus de zeven-en-een-halfste!

Tja, één mijner voorvaderen was maar een halve! Is niet lang koning ende vorst geweest.

Gwendoline, jij leidt de kinderen rond op het kasteel! Ik wil even praten met deze edele ende dappere heer!

35

Mijn dochter vertelde mij dat u zo moedig gevochten heeft?

Ach... het mag geen naam hebben!

... tenzij 'onovertroffen edelmoedige dapperheid'!

Niets te veel gezegd ende gesproken! U bent de man die wij nodig hebben!

Hoe bedoelt u?

Ik heb een koene ende onversaagde strijder nodig voor mijn zaak! Kom mee, dan zal het u duidelijk worden!

36

Zo dadelijk zijn we bij de prachtig ende rijk versierde eetzaal!

Hé Gwennetje, waar gaat dit naartoe?

Dat?! O... eh... naar de toren... Maar daar mag niemand meer op... Hij is heu... bouwvallig!

Ach zo...

BOEHOEHOE! SNIK SNOK!

37

Ik hoorde iemand wenen! Er is daarboven iemand in nood!

Nee!

Dat zijn de... kraaien die in de toren wonen ende nesten! Volg me nu...

Hier is iets niet pluis, Sus!

Wat... wat is dat?!

38

Welkom bij Theofilus Harnassen NV!

39

Ja, ik ben producent ende maker van harnassen! Maar naast de verkoop van nieuwe harnassen...

...onderhoud ende herstel ik ook harnassen in eigen atelier!

En dat is niet alles! Ik verkoop ook gebruikte harnassen...

40

...in mijn nearly new harnasshop! Hier vind je de beste ende mooiste tweedehandsharnassen!

ALS NIEUW

GEVECHTS-VRIJ

Harnas kopen, mijnheer? Is van een oud dametje geweest dat er enkel op zondag mee buitenkwam!

41

Bij Theofilus Harnassen is het altijd een beetje harnassalon.

Mooi! En dan?

De zaken gaan slecht, Lambik! Ik krijg concurrentie uit het oosten van Harnassen Herr von Glanz en in het zuiden rukken de heren Les Conserves op.

HARNANAS

BEETJE WERK AAN

42

Edoch mijn grootste concurrent is die valse Ridder Blickenbus!

ROESTVRIJ

Hij laat zijn harnassen produceren in een lageloongraafschap! Daardoor is zijn blikken rommel spotgoedkoop!

Ook al vind je er geen vervang-stukken voor!

Zoiets moet je aanklagen bij het Europees parlement! Daar kan ik niks aan doen!

43

Toch wel! Ik wil bewijzen dat kwaliteit méér verkoopt!

Daarom heb ik morgen een toernooi georganiseerd met een steekspel en zwaardgevechten!

Ik heb er alle belangrijke ridders op uitgenodigd!

Jaja,... En jij vecht mee in een van jouw harnassen om zo reclame te maken voor je winkel!

44

En? Lambik? Niet te bang?

Bang? Ik? Dat woord staat niet in mijn woordenboek!

Koning Theofilus daagt u allen uit! Voor hem zal strijden de koene ridder Lambik, gesponsord door Harnassen Theofilus!

Bravo ende hoera!

53

Zijn eerste tegenstander is heer Lilliput Van Cortgestuickt, rijdend in een Glanz-harnas!

Vlug ende snel, smeer mijn harnas nog maar eens!

Jawel, heer!

Zie ende zo!

54

Dat het eerste gevecht beginne ende starte!

Dat kleine ventje hak ik zo in de pan!

HAAARGGHH!!!

55

KLANG!

Wat een temperament, zeg! Dat begint hier al goed!

Ik maak hem af met het zwaard!

56

HAHAAA!

Oh nee! Arme Lambik!

Dit moest fout aflopen!

Hé, wat is dat?! Ik krijg mijn armen niet meer naar beneden! En mijn benen zitten ook vast!

57

Natuurlijk niet! De lijm in zijn harnas wordt hard!

Ik geloof dat het nu aan mij is, nietwaar?

KLONG!

BANG!

BING!

KLANG!

DENG!

58

Deze ridder zijn houdbaarheidsdatum is overschreden.

En de winnaar is... Heer Lambik!

In een Theofilus-harnas!

59

Lambik trekt zijn plan wel! Kom, niemand let op ons. Tijd om die verboden toren te doorzoeken!

In de tweede kamp zal heer Lambik strijden tegen Graaf Van Zwickzwack! Deze strijdt in een harnas van Les Conserves!

Haha, hiermee gaan we nog lachen!

60

En dan nu de derde kamp!

Kijk, Lambik begint aan zijn volgende ridder.

Sst! Ik hoor een stem.

...en laat niemand je zien! Dat zou een ramp zijn!

65

Oef, dat was net op tijd!

Ze heeft de deur niet op slot gedaan! Dit is onze kans!

Sidder voor ridder Obesitas!

KATAKLOPKATAKLOPKATAKLOPKATAKLOP

66

Heb je honing in zijn harnas gesmeerd ende gegoten?

Jahaha! Een hele pot!

Die deur is langs binnen op slot! Vreemd.

Ja, dan gaan we maar weer naar buiten!

Goed idee! We kunnen naar het torenraam klimmen!

Wat?!

67

Weg met de lansen! Ik maak je af met het zwaard!

KLANG!

BZZZZZZ

BZZZZZZ

AAAAH!

68

Hela hola, het is hier een steekspel en géén waterballet!

Wacht maar, ridder Lambik. Je bent nog niet van mij af ende verlost!

Daar hoopte ik eigenlijk op!

69

BONG!
KRING!
BLENG!
BWAK!
KADUNG!
KRIOONGGCK!

Als je zo'n beetje bij de jeugdbeweging geweest bent, maak je overal een blikopener van!

En de winnaar is Lambik...

In een Theofilus-harnas!

70

De volgende ridder die...

Vergeet het maar! Ridder Lambik is mij te sterk! Ik geef er de brui aan ende de strijd op!

Ik ook!

Ende ik ook!

Wegwezen ende afbollen maar!

Dan verklaar ik ridder Lambik, drager van het Theofilus-harnas tot overwin....

HALT!!!

71

Wie... wie is dat?!

Dat is de beruchte zwarte ridder! En wat erger is...

Hij draagt een Blickenbus-harnas!

Prachtig! Ik bedoel... euh blikken rommel!

72

Zeker zot geworden? Hebt zwaard nog nodig.

O nee, dat denk ik niet! Ik heb een paar cruciale bouten van je harnas afgehakt. Waardoor...

...het van je lijf valt.

SPROING

KLINGELANG

BELONG

KLONG

TOK

KLENG

Oei, onverwachte wending!

81

HOURAAAAHH!!!

En de winnaar van het toernooi is ridder Lambik!

In een Theofilus-harnas!!

82

Je bent een valsspeler, Theofilus! Maar hopelijk kom je je belofte na en krijg ik nu mijn prijs!

Uiteraard! Een woord is een woord en dus is hier de prinses!

Euh... misschien heb ik daarnet wat hard geslagen maar uw dochter staat links van u!

83

Gwendoline? Maar nee, die is al verloofd! Ik schenk jou de hand van mijn NICHT, prinses...

...Sidolina!

Haaa, het is gelukt! Na al die jaren vergeefs wachten in mijn eenzame toren heb ik eindelijk een man!

84

# WILLY VANDERSTEEN

Scenario: PETER VAN GUCHT
Tekeningen: LUC MORJAEU

# HET MOPPERENDE MASKER

Standaard Uitgeverij

\* À VOLONTÉ: ONBEPERKT ETEN.

DRIE WEKEN LATER...

Hela! Jouw boek ligt op mijn helft van de bank!

En jij dan! Jij ademt lucht in uit mijn helft van de kamer!!

Je ziet het...

Hela, kijk niet zoveel naar MIJN tv-programma!

Ze geven nog steeds geen duimbreed toe! Ik begrijp er echt niets van!

Ik wel!

O ja, hoe bedoel je?

Dat zal ik je eens uitleggen!

Stel je voor, deze pils is hun vriendschap!

Kijk nu goed!

GLOEGLOEGLOE

Ziezo. Vriendschap verdwenen!

Zal wel zijn, was mijn pils!

Ik bedoel maar, ook vriendschap is niet voor eeuwig!

Eens is ze voorbij! Ook voor Suske en Wiske!

Het wordt tijd voor vernieuwing! Een nieuw tijdperk, een nieuwe held!

Een nieuwe pils?

En je weet al wie dat zal zijn, zeker?

Jerommeke natuurlijk!

Ja, dat zal wel! Vanaf nu is het gedaan met domme spierkracht! Wat de moderne held nodig heeft, zit hier!

Wat? Zaagmeel?

Lach maar! Je zal wel zien! Lambik wordt de nieuwe soeperhiero!

Misschien wel beter zo. Ben beu steeds held te zijn. Word jouw assistent!

Ha! Eindelijk ken je je plaats! Goede vriend!

SMAK!

Kom! Op naar nieuwe avonturen!

? Ja maar...

Fijn! Nu laat iedereen me in de steek! Pfft, ze doen maar! Ik ga een wandelingetje maken!

O ja, als iemand me nodig heeft...

...DAN BEN IK ER NIET!

VLAM!

Zo, nu is tante boos! Door jouw schuld!

Zwijg! Voor mijn part ontplof je!

BONK

?!

Vreemd, voor iemand die ontploft is, zie je er toch nog goed uit!

Vanaf nu ben IK de held van dit verhaal. En als jij braaf bent, mag je een edelfigurant zijn! Dus die kist gaat open!

Jij? Een heldin?! Laat me niet lachen! Vanaf nu is het 'De avonturen van Suske' en die kist blijft dicht!

OPEN!!

DICHT!!

25

WIEOOEEWIEOO!

De ziekenwagen!

Waar is de patiënt?

Komt u maar mee naar binnen!

Het is deze kerel hier!

Welke kerel waar?

26

Goede opmerkingsgave!

HIJ IS WEG!!

?!

De man blijkt spoorloos. De ziekenwagen verdwijnt zonder patiënt. Als even later Sidonia thuiskomt wordt ze op de hoogte gebracht.

Wat een vreemde historie! En dat is die bewuste kist, zeg je?

Hé, hier kleeft een etiket!

27

'Eigendom van het Koninklijk Museum voor Midden-Afrika!'

Hé, wat is dat? Een aardbeving!

BRROEMMM!!

Nee! Dat ben ik die sta te trillen van nieuwsgierigheid! Maak die kist nu open!

Geen denken aan!

28

Stop daarmee! Die kist blijft dicht! En jullie vliegen allebei naar bed, ruziemakers!

ONDERTUSSEN EEN PAAR STRATEN VERDER...

Wel, wat vind je van mijn superoutfit?

Is niet bepaald Bikkembergs.

29

Nee, het is Lambikkenbergs! En? Zie je me al rondvliegen?

Denk eerder dat Bik ze ziet vliegen!

Lach maar! Ik zál vliegen!

Van deze oude grasmaaier maak ik in een wip een supervliegtuig voor een superheld!

30

Kan ik geloven, motortje werkt op superbenzine!

LATER DIE NACHT BIJ SIDONIA THUIS. IEDEREEN IS IN EEN DIEPE SLAAP VERZONKEN... IEDEREEN?

31

NEE, NIET IEDEREEN...

Ik mag niet aan de kist denken! Ik moet slapen!

Ik zal schaapjes tellen!

32

Ik hou het niet uit! Ik moet het weten!

Het is misschien onvoorzichtig, maar onvoorzichtige meisjes moeten er ook zijn, hé!

Haha, hébbes! Snel openmaken!

Gaat moeilijk zo in het donker, zeg!

Dan doe je toch gewoon het licht aan!

Inderdaad! Goed idee!

Suske?!!

Tja, niet de melkboer, dat is zeker! Kon mevrouw de slaap weer niet vatten?

Ik ben toevallig nogal nieuwsgierig van aard, ja! En jij gaat me niet tegenhouden!

Valt te bezien!

Hier jij!

Pak me maar als je kan!

Haha, ik ben sneller dan jij en...

... zie daardoor de Chinese vaas van tante niet staan!

KRAK!

De kist. Ze is opengevallen! Kijk!

Een Afrikaans masker!

Brrr, ziet er eng uit!

Kom, we weten nu wat er in zit! Laten we nu maar snel weer de kist...

PUH!

POEH!

?!

!!

Aaahh, dat licht!!!

Ik zie niets meer!!!

37

Het zweeft de trap op!

PUH!

Vooruit! We moeten het vangen en weer in de kist stoppen voordat tante wakker...

WAT IS DAT HIER VOOR EEN KABAAL?!

38

Suske? Ben jij dat? Je ziet er niet goed uit, hoor!

PUH! POEH! BAH!

Wat sta je daar nu te mopperen! Wacht, even mijn bril opzetten, dan hoor ik beter!

Wat is dat voor iets?

PUH! BAH!

Tante, pas op!

39

Aah! Ik zie niks!

BAH! BUH! GRMMBLMM!

Het masker jaagt tante in haar kamer! Vlug, we moeten haar helpen!

VLAM!

De deur slaat dicht!

40

Luister goed! Ik ben het masker van de god Mwengabu! Muh!

Jullie hebben de rust van mijn meester verstoord!

Die rust is hem dierbaar! Bah! Daarom heeft hij datgene weggenomen wat jullie het dierbaarst is! Jullie tante!

45

Laat haar vrij! Jij ebbenhouten rotkop!

Muh! Bof! Bah! Mwengabu laat niemand vrij, tenzij...

... jullie bewijzen dat jullie veel heldenmoed hebben! Puh!

Heldenmoed?

POEH!

46

En hoe doen we dat?

Zoek Mwengabu en bewijs je moed! Zolang jullie niet slagen...

... blijft Sidonia gevangen! Buh! Bah! Poeh!

PATS

47

Meester! Poeh! Ik keer naar u terug!

Het is verdwenen!

Wat nu?

Ik ga tante bevrijden natuurlijk!

Jij?!

48

Natuurlijk! Vanaf nu zijn dit 'De avonturen van Suske!'

Wat?!

'De avonturen van Wiske' zal je bedoelen! Dapper, moedig, schrander en...

... zonder het flauwste idee waar ze moet beginnen zoeken, nietwaar?

49

O, en jij weet wel waar je moet zoeken, zeker?

Uiteraard! Zoals dat gaat bij echte helden!

O, ja? Waar is dat masker dan naartoe, hè?

Dat zeg ik niet!

Dan had je daarstraks maar wat beter moeten opletten!

50

Waar heb jij dat fruit voor nodig?!

Ik ga een oude bekende blij maken!

Waarom brengt hij dat fruit nu naar de garage?

Maar natuurlijk! Nu weet ik wat hij gaat doen!

51

Hij heeft Vitamitje te eten gegeven!

VROEM!

Bah! Hij is me voor! Maar ik geef me niet zomaar gewonnen!

Hij is nog niet van mij af!

VROM!

52

Ga even hefschroef halen, is op voetpad gevallen!

?!

Is Suske? Zo vroeg in ochtend? Vreemd!

57

En daar Wiske! Ga gauw vertellen aan Superbik!

Wat? Suske en Wiske? Ha, die zijn vast op avontuur vertrokken! Zonder ons te verwittigen!

Kom, we volgen ze. En als het gevaarlijk wordt, grijpen we in zodat IK de held ben!

58

L AMBIK EN JEROM PERFECTIONEREN HET TOESTEL EN ZETTEN DE ACHTERVOLGING IN.

Ja, ginds! Ik zie ze rijden!

Ik ben er!

KONINKLIJK MUSEUM VOOR MIDDEN- AFRIKA

59

Het is nog gesloten!

KONINKLIJK MUSEUM VOOR MIDDEN- AFRIKA

Maar je weet nooit of...

...ik geluk heb.

60

Zie je wel! Wat een meevaller! Zo maken ze het mij wel héél gemakkelijk!

MAAR EEN BEETJE VERDER HOUDT IEMAND SUSKE SCHERP IN DE GATEN!

Het Afrikaans Museum, natuurlijk! Dat stond op het etiket van de kist.

Veel kans dat het masker hier is! Slim gezien, Frans! Maar je bent nog niet van mij af!

61

Ze zijn naar binnen! Ik moet ingrijpen!

Nu is ook Wiske het museum binnengeklauterd!

Gaan te laat komen! Bik te veel traagvlieger! Waslijn komt van pas!

62

Was supersnel opgevouwen! Later draad terugbetalen!

Lus gemaakt! Omhoogzwieren rond been Superbik!

Aaaaaahh!!!

Dan spurtje zetten!

ZOEFFFFF!!!

63

ONDERTUSSEN ZIT SUSKE IN HET MUSEUM.

En nu op zoek naar het masker!

64

Sidonia komt enkel vrij als jullie genoeg moed tonen!

PUH!

En hoe doen we dat? Door een proef?

Neen! Mijn handen zullen jullie moed wegen!

PUH!

BAH!

69

Ik begrijp het al! We moeten gewoon aan die handen gaan hangen! Uit de weg!

Niks van! Dat doe ik! Laat de vedette door!

Laat me los!

STOP!!

?!!

70

Wie bent u!?

Heeft geen belang!

Ik zoek het masker van Mwengabu al lang! Ik ben geïnteresseerd in zijn speciale krachten! Het ontvoert mensen in opdracht van Mwengabu!

Maar het masker aanraken, is niet zonder risico! Dus stuurde ik er een mannetje op af! Hij slaagde erin om het masker mee te pakken zonder opgeslokt te worden!

71

Alles ging goed tot hij domweg voor jullie deur tegen een boom reed! Maar nu gaan júllie mij helpen! Vooruit, haal het masker naar beneden en geef het aan mij!

Geen denken aan!

Maar jawel! Als we eerst tante mogen bevrijden!

Jammer, maar dat kan ik niet toestaan!

Wat? Waarom niet?

72

Het beeld kan maar één persoon tegelijk gevangennemen! Als jullie tante vrijkomt, zal Mwengabu aan het masker opdracht geven een ander slachtoffer te zoeken!

En omdat ik dan diegene ben die Mwengabu verstoort, zal het beeld de persoon ontvoeren die mij het dierbaarst is. En dat...

... ben IKZELF!

Dus laat jullie tante maar zitten waar ze zit! Kom op, geef het masker! Vooruit, of ik schiet!

Wel? Duurt het nog lang?

We moeten iets doen!

Als hij dat masker meeneemt...

... blijft tante gevangen!

Ik waag het erop!

DOEF!

Hop!!!

MWENGABU VOELT VEEL MOED... Bah! MAAR NIET GENOEG!

Dacht ik het niet! Uit de weg, angsthaas. Hiervoor moet je échte moed hebben!

Stop daarmee! Dwing me niet om...

Te laat makker! Tante betekent te veel voor me!

WEER VEEL MOED! Puh! MAAR TE WEINIG!

Jullie trapten er meteen in!

We hebben er dan ook werk van gemaakt...

De kleine Sidonia was een 3D-projectie en... het zwevende masker was telegeleid!

Voor het ongeval huurden we een stuntman in!

En de hulpdiensten werkten ook mee!

Net als het museum!

Inderdaad!

Zat ook mee in complot. Moest kuren van Bik in het oog houden. Goed gelukt!

Maar waarom?...

Omdat we niet konden aanzien dat jullie zoveel ruzie maakten, natuurlijk!

Daarom bedachten we een avontuur waarin jullie je wel móésten verzoenen om het tot een goed einde te brengen!

Verzoenen?!! Hoezo?

Wij zijn de béste vrienden, hè Suzzewus?

Door dik en dun, Wizzewis! Onafscheidelijk!

... en onverschrokken!

Euh...

AAAAAH!!!

Wat nu weer? Ik wou gewoon vragen of er iemand mij van dat masker kan verlossen?

EINDE

Druk: Het Volk *Printing*, Erpe-Mere